U0065329

國家圖書館出版品預行編目 (CIP) 資料

大家一起搭積木/竹下文子文；鈴木守圖；王蘊潔譯. -- 第二版. -- 臺北市：親子天下股份有限公司, 2023.08
面；24*23公分. -- (繪本；331)
國語注音
譯自：つみきでとんとん
ISBN 978-626-305-525-4(精裝)

861.599　　112009485

TSUMIKI DE TONTON
Text copyright © Fumiko TAKESHITA 2005
Illustrations copyright © Mamoru SUZUKI 2005
First published in Japan in 2005 under the title
"TSUMIKI DE TONTON"
by KIN-NO-HOSHI SHA Co., Ltd.
Traditional Chinese translation rights arranged with
KIN-NO-HOSHI SHA Co., Ltd. through
Future View Technology Ltd.
Traditional Chinese Translation copyright ©2009
by CommonWealth Magazine Co., Ltd.
ALL RIGHTS RESERVED

繪本 0331

大家一起搭積木

作者｜竹下文子　繪者｜鈴木守　譯者｜王蘊潔
責任編輯｜陳婕瑜　美術設計｜陳珮甄

發行人｜殷允芃　創辦人兼執行長｜何琦瑜
總經理｜游玉雪　副總經理｜林彥傑　總編輯｜林欣靜
研發總監｜黃雅妮　行銷總監｜林育菁　版權主任｜何晨瑋、黃微真

出版者｜親子天下股份有限公司
地址｜台北市 104 建國北路一段 96 號 4 樓
電話｜(02)2509-2800 傳真｜(02)2509-2462
網址｜www.parenting.com.tw
讀者服務專線｜(02)2662-0332　週一～週五：09:00~17:30
讀者服務傳真｜(02)2662-6048　客服信箱｜bill@service.cw.com.tw
法律顧問｜台英國際商務法律事務所・羅明通律師
製版印刷廠｜中原造像股份有限公司
總經銷｜大和圖書有限公司 電話：(02)8990-2588

出版日期｜2009 年 7 月第一版第一次印行
　　　　　2023 年 8 月第二版第一次印行
定價｜300 元　書號｜BKKP0331P　ISBN｜978-626-305-525-4（精裝）

訂購服務

親子天下 Shopping｜shopping.parenting.com.tw
海外・大量訂購｜parenting@service.cw.com.tw
書香花園｜台北市建國北路二段 6 巷 11 號
電話：(02) 2506-1635　劃撥帳號｜50331356

立即購買 >

大家一起搭積木

文・竹下文子　圖・鈴木守　譯・王蘊潔

一塊積木，兩塊積木，
排在一起，
咚、咚。

再搬一塊積木來。

疊在一起，咚。

哇！椅子做好了！

再搬一些積木來。

咚、咚、咚咚，

長頸鹿出現了！

再搬更多、更多積木來。
要堆一座山嗎？
還沒好，還沒好。

要造房子嗎？

還沒好，還沒好。

要造車子嗎？

還沒好，還沒好。

要建城堡嗎？　還是要造船？
還沒好，　還沒好，　還沒好。

終於做好嘍！
積木怪獸恐龍王現身啦！
吼～

積木恐龍王走來了。

砰、砰，哇，追過來了！

停下來，停下來，
積木恐龍王，不可以走過來！

趕快，趕快，快來蓋城牆。

終於安全了。
沒想到……

哇！城牆倒塌了。

哎呀，統統都倒了。
又可以再玩一次了。

搬啊搬，咚咚，
排啊排，咚咚，
疊啊疊，咚咚，
這次要堆什麼呢？

積木公園，積木城堡，
統統都是積木的積木王國！

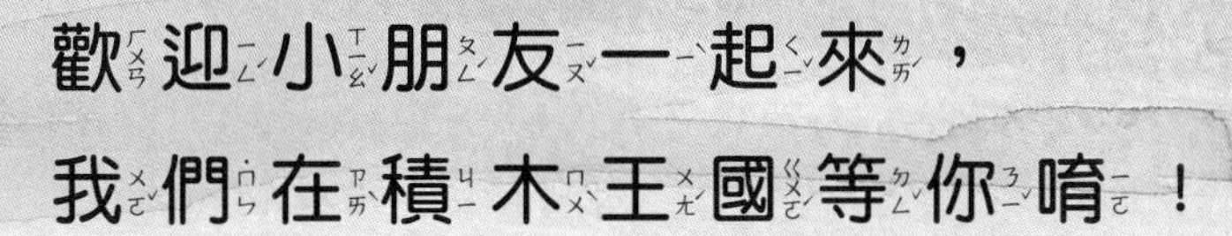

歡迎小朋友一起來，

我們在積木王國等你唷！

我們明天還要玩，
咚咚。

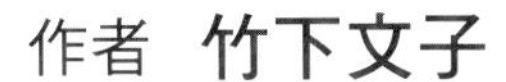

作者　竹下文子

一九五七年出生於日本福岡縣，畢業於東京學藝大學。主要作品有《獅子生日》、《歡迎來到月夜》、《抱抱我》、《餅乾王》等。和畫家鈴木守合作的作品有《大家一起鋪鐵軌》、《大家一起搭積木》、《大家一起來畫畫》、《大家一起做料理》、《企鵝冰箱》、【管家貓】系列、《公車來了》、【黑貓五郎】系列、《小薰和他的朋友》等。

繪者　鈴木守

一九五二年出生於東京。畫家、繪本作家、鳥巢研究家。主要繪本作品有《大家一起鋪鐵軌》、《大家一起搭積木》、《大家一起來畫畫》、《大家一起做料理》、《小小火車向前跑》、《小小火車變變變》、【ㄅㄨㄅㄨ，車子來了】系列、《鳥巢大追蹤》、《我的山居鳥日記》、《鳥巢之歌》等。熱衷於日本各地舉辦鳥巢展覽。